Orbis

Berlin und Potsdam

Deutsche Hauptstadt und Weltmetropole

Orbis Verlag

Fotos: Klaus Lehnartz, Berlin
Umschlagfoto: Klaus Lehnartz, Berlin (Motiv: Schloß Charlottenburg mit dem Denkmal des Großen Kurfürsten)
Umschlaggestaltung: Prisma Verlag GmbH, München; Orbis Verlag für Publizistik GmbH, München

Konzept, Redaktion und Koordination: Prisma Verlag GmbH, München
Text: Thomas Veser, Großhelfendorf
Übersetzung: Gaia Text, München
Buchgestaltung: Hubert K. Hepfinger, Freising

Satz: Filmsatz Schröter GmbH, München
Lithografie: Repro Ludwig, Zell am See
Druck und Einband: Mohndruck Grapische Betriebe GmbH, Gütersloh
Printed in Germany
ISBN 3-572-01003-9

Inhalt
Contents · Contenu

Berlin
Vom Dorf zur Weltstadt

Noch zu Lebzeiten des »Alten Fritz« präsentierte sich Berlin als ländlich verschlafene Kleinstadt im Schatten der großen Weltgeschichte. Das Brandenburger Tor war damals eine schlichte Holzkonstruktion. Auf dem früheren Gendarmenmarkt pflegten die Roßknechte des Königs ihre Pferde und Maultiere zu tränken. Erst nachdem der kunstliebende Monarch den Marstall »embellezziert« hatte, um seine Musiker-Akademie standesgemäß unterzubringen, wehte ein Hauch von Großstadtluft über den gepflasterten Platz. »Die Mulis leben jetzt neben den Musis«, vermerkte damals der Volksmund mit beißendem Spott. Das märkische Dorf Berlin ließ sich eben nicht im Handumdrehen in eine Hauptstadt umwandeln.

Weitab wichtiger Handelsstraßen entwickelte sich die spätere Reichshauptstadt im Mittelalter aus zwei Siedlungskernen, die idyllisch in einer seen- und waldreichen Region lagen. »Berlin« tauften die Einwohner die Ortschaft mit der Nikolaikirche. Das Nachbardorf taufte man Cölln, und da dieser Name in den Urkunden erstmals 1237 auftauchte, konnte Berlin 1987, getrennt in Ost und West, den 750. Jahrestag der Gründung feiern.

Nikolai- und Marienkirche sind die ältesten, noch erhaltenen Bauwerke Berlins aus dem 14. Jahrhundert. Nach dem Dreißigjährigen Krieg erweiterte der Große Kurfürst das Stadtgebiet um Friedrichswerder,

Even in Frederic the Great's lifetime, Berlin was regarded as a small, rustic, sleeping city in the shadow of universal history. The Brandenburger Tor was a modest, wooden construction and the Gendarmenmarkt was a watering hole for the equerries of the king. On this same paved place, the king built a music academy, and hence it was heard with scorn in the vernacular, the »mules next to the musicians« The Brandenburg village of Berlin did not transform into an important city in the blink of an eye.

Far from more important trade routes, this later-capital city developed from two settlements surrounded by flat land and rich forests; Cölln and Berlin, an area near the Nikolai Church. The name Berlin is first found in a document from 1237 and therefore, the city celebrated its 750th birthday in 1987.

Nikolai and Marien Church are the oldest intact buildings from the 14th century. After the Thirty Year War, Berlin expanded further and incorporated Friedrichswerder, Dorotheenstadt and Friedrichstadt. Religious refugees aided the economical upswing, and buildings from the Huguenot influence, for example the French Cathedral at the Gendarmenmarkt with its Huguenot Museum, can still be seen today. Berlin had its »Golden Era« under Frederic the Great. The renowned builders and sculptors Knobelsdorff, Gilly, Gontard, Schadow and Rauch trans-

Du vivant du »Alte Fritz«, la ville de Berlin ressemblait encore à une petite ville de province dormant à l'ombre de l'histoire universelle. A l'époque, la Porte de Brandenbourg était une simple construction en bois. Les palefreniers du roi donnaient à boire aux mulets à l'ancien marché des gendarmes. Mais l'atmosphère d'une grande ville souffla au-dessus de cette place pavée lorsque le roi, grand amateur d'art, eut »embelli« l'écurie pour y héberger son académie de musique. »Les mulets vivent maintenant porte à porte avec les musiciens«, remarqua le peuple d'une façon sarcastique.

Au Moyen Age, la future capitale du Reich consistait en deux cités voisines. En 1237, le village dans lequel était située l'église Nikolai s'appelait Berlin, l'autre Cölln, de sorte qu'en 1987 la ville de Berlin put célebrer son 750ème anniversaire.

Les églises Nikolaikirche et Marienkirche sont les plus anciens monuments berlinois. Après la guerre de Trente Ans, le Kurfürst agrandit la ville en incorporant Friedrichswerder, Dorotheenstadt et Friedrichstadt. Plusieurs monuments historiques nous rappellent la présence des huguenots qui, à l'époque, relancèrent une économie désastreuse. Sous Fréderic le Grand, des architectes célèbres transformèrent Unter den Linden, l'ancien chemin de chasse de l'Electeur, en un boulevard somptueux qui se termine sur la Pariser Platz où s'érige le Brandenburger Tor.

Dorotheenstadt und Friedrichstadt. Glaubensflüchtlinge brachten die darniederliegende Wirtschaft in Schwung. An die fleißigen Hugenotten erinnern heute noch etliche historische Gebäude in der City, wie der Französische Dom am Gendarmenmarkt mit dem Hugenotten-Museum.
Unter Friedrich dem Großen erlebte Berlin sein »Goldenes Zeitalter«. Renommierte Baumeister und Bildhauer wie Knobelsdorff, Gilly, Gontard, Schadow und Rauch verwandelten den ehemaligen kurfürstlichen Jagdpfad »Unter den Linden« in einen weltweit einzigartigen Prachtboulevard, gesäumt von klassizistischen Gebäuden und beeindrukkenden Statuen berühmter Persönlichkeiten der damaligen Epoche. Am Ende dieser »historischen Meile« erhob sich auf dem Pariser Platz mit seinen prächtigen Adels- und Bürgerhäusern das von Langhans geschaffene Brandenburger Tor.
Im ältesten Stadtteil, dem restaurierten Nikolaiviertel, schlägt heute wieder das Herz »Alt-Berlins« Berlins »Gute Stube«, wie das volkstümliche Quartier mit seinen Cafés, Weinlokalen und Weißbierstuben gerne genannt wird, harmonisiert vortrefflich mit den Gründerzeitfassaden am Chamissoplatz, von dem es seit dem historischen Datum des 9. November 1989 nicht mehr länger getrennt ist. Weder Weltkrieg, Hungerwinter (1948/49) noch Mauerbau im August 1961 haben den zähen Menschenschlag der Berliner in die Knie zwingen können.
Berlin, das sich im letzten Jahrhundert in atemberaubender Geschwindigkeit zu einer anerkannten Kulturmetropole von Weltrang entwikkelt hat, wächst nach Jahren der Teilung wieder langsam in seine Rolle als Hauptstadt eines vereinigten Deutschland.

formed the former hunting trail, Unter den Linden, into a universally unique boulevard of classical buildings and statues which ended at Pariser Platz with Langhans' Brandenburger Tor. Houses of the nobility were built in this area in the early Victorian Period.
The Schlüter sculptures, the Altes Museum, the Neue Wache, and the Gendarmenmarkt give the visitor undescribable charm. Built from the model in Petersburg, the »Spree-Athens'« Lindenforum consists of the Opera, the Old Palace, the Humboldt University and the Alte Bibliothek.
The pulse of »old Berlin« still beats in the preserved Nikolai quarter where wine bars, cafes and Weißbier taverns harmonize with the spruced up facades of the Chamissoplatz. The re-united Berlin honors the perseverance of its citizens where neither world war nor the winter of starvation (1948/49) could bring them to their knees.
The city with the bear in its coat of arms has withstood harsh testing and role changing for its reputation as a worldly metropolis.

Avec ses divers palais, le Alte Museum, le Neue Wache et le marché des gendarmes, la ville de Berlin portait le nom de »l'Athène sur la Spree«. Son chef-d'oeuvre reste jusqu'à aujourd'hui le Lindenforum, composé entre autres par le Staatsoper et l'Alte Bibliothek.
Le quartier le plus ancien, le populaire Nikolaiviertel, avec ses cafés, ses tavernes de vin et de »Weißbier«, s'accorde parfaitement avec l'élégance des façades sur la place de Chamisso à l'Ouest, de laquelle il n'est plus séparé depuis le 9 novembre 1989.

Berlin
Bilder einer Weltstadt

Ein Meer von Prachtgebäuden so weit das Auge reicht – an dieses glänzende Stadtbild der Gründerzeit, das noch in Robert Springers Berlinführer von 1877 besungen wurde, erinnerte im Mai 1945 nicht mehr viel. Bis auf drei historische Bauwerke, der Dom, die Staatsbibliothek und der Reichstag, war die City in Schutt und Asche gesunken. Konnte aus diesem Ruinenfeld jemals wieder eine Stadt entstehen?
Nach der Teilung Berlins entstanden im Westen die elegante Kongreßhalle (1957), von den Berlinern spöttisch »Schwangere Auster« getauft, die Philharmonie, das Europa-Center und das Hansaviertel, anläßlich der internationalen Bauausstellung 1957 von namhaften Architekten aus aller Welt geschaffen. Zusammen mit der Avus, dem Olympiagelände und dem Funkturm, genannt »langer Lulatsch«, prägen diese Bauwerke Berlins Erscheinungsbild.
Im Ostteil, nahe der historischen Mitte – dort, wo einst das Berliner Stadtschloß stand – schuf sich die Führung der ehemaligen Arbeiter- und Bauernrepublik repräsentative Gebäude, so etwa den »Palast der Republik«. Völlig umgestaltet wurde der traditionsreiche Alexanderplatz. Im Schatten eines gigantischen Fernsehturms, von Hochhäusern und Hotels dreht sich heute die Weltzeituhr an der Urania-Säule.

Robert Springer's Berlin guide sang praises of the city as a »magnified sea of architecture as far as the eye can see«, but little of this sea could be recognized after May, 1945, when, with the exception of three historical buildings – cathedral, Staatsbibliothek and Reichstag –, Berlin was sunk in ashes and ruins. Could a city be resurrected?
The exact division of the city made it more impossible to reconstruct it. In the west, Hans Scharoun modernized the loom of Berlin with its Congress Hall (nicknamed the »pregnant oyster«), the Europa-Center near Kurfürstendamm, the Philharmonie, and Gropiusstadt and Märkisches Viertel as new suburbs.
Along with these architectural creations is the Olympic Grounds built in 1936, the Avus, and the famous radio tower (the Funkturm), which soars above the Berlin skyline. Well renowned architects created the Hansaviertel for the city's international construction exhibition in 1957. Also important in the east part, near the historical center, are the television tower, the Palast der Republik, and the completely remodelled Alexanderplatz.

En mai 1945, seuls trois monuments historiques, la cathédrale de Raschdorff, la Staatsbibliothek et le Reichstag s'élevaient, plus ou moins indemnes, au-dessus du champ des ruines, nous rappelant l'ancienne beauté de la ville.
A l'Ouest, l'idée de Hans Scharoun d'établir un paysage urbain moderne le long du lit de la Spree a été réalisée: La construction du centre des congrès, de la Philharmonie et de la nouvelle agglomération Gropiusstadt et du Märkische Viertel en sont la preuve.
Lors de l'exposition internationale de la construction à Berlin en 1957, des architectes internationaux célèbres ont reconstruit le quartier Hansaviertel. Dans la partie Est de la ville, presqu'au centre historique, on a construit des immeubles représentatifs, comme par example le tour de télévision, le Palast der Republik et l'Alexanderplatz urbanisée.

Das Brandenburger Tor auf dem Pariser Platz ist die einzige erhaltene Toranlage Berlins.

The Brandenburger Tor on Pariser Platz is the only gateway construction preserved in Berlin.

Le Brandenburger Tor, sur la Pariser Platz, est la seule porte de Berlin d'époque.

Auf dem Dach des Brandenburger Tores thront die Siegesgöttin in ihrem Wagen, der von vier Pferden gezogen wird (oben).

The Victory Goddess pulled by her four horses reigns on the roof of the Brandenburger Tor (above).

La déesse de la Victoire, dans son char tiré par quatre chevaux, trône sur le toit du Brandenburger Tor (ci-dessus).

Seit der Maueröffnung ist es erstmals wieder möglich, durch das monumentale Brandenburger Tor hindurch den Stadtteil zu wechseln (rechts).

Once again since the opening of the wall, it is possible to cross the monumental Brandenburger Tor and reach different parts of the city (right).

Le Brandenburger Tor est un passage, de nouveau possible depuis l'ouverture du mur, vers les quartiers Est de la ville (à droite).

Pariser Platz
Unter den Linden

DEM DEUTSCHEN VOLKE

Das 137 Meter lange, monumentale Reichstagsgebäude wurde von Paul Wallot erbaut und steht seit der Wiedervereinigung dem Deutschen Bundestag für seine Sitzungen zur Verfügung.

Since reunification the German Bundestag holds conferences at the 137-meter long, monumental Reichstag building, constructed by Paul Wallot.

Le monumental bâtiment du Reichstag, long de 137 mètres, fut construit par Paul Wallot; depuis la réunification il est à la disposition du Bundestag pour des sessions parlementaires.

Von Christian Daniel Rauch stammt dieses Reiterdenkmal Friedrichs des Großen, der »unter den Linden« wieder gen Osten reitet (oben).

This equestrian monument by Christian Daniel Rauch commemorates Frederic the Great who once again rides towards east »under the lindens« (above).

Frédéric Le Grand, en statue de cavalier, de Christian Daniel Rauch, sur le boulevard »Unter den Linden« regarde de nouveau vers l'Est (ci-dessus).

Klassizistische Gebäude säumen den Tag und Nacht belebten Prachtboulevard Unter den Linden in Berlins historischer Mitte (rechts).

Classical buildings in the historical heart of the city line Unter den Linden, Berlin's splendid and liveliest boulevard (right).

Des bâtiments classiques bordent Unter den Linden, le somptueux boulevard, animé nuit et jour, qui se trouve au centre histori-que de la ville de Berlin (à droite).

Über die Schloßbrücke mit ihren Figurengruppen führt der Weg direkt in Berlins Schatztruhe, die Museumsinsel.

The castle's bridge with its group of figures leads the way to Berlin's treasure chest, the Museum Island.

En traversant le pont Schloßbrücke avec ses statues, on arrive directement sur le joyau de Berlin, dans l'île des musées.

Prägende Bauwerke der Stadtsilhouette des Nikolaiviertels sind (von links nach rechts) das Rote Rathaus, die Kuppel des Stadthauses und die spitzen Türme der Nikolaikirche.

In the Nikolai quarter the city's skyline is characterized by impressive constructions such as the Rotes Rathaus, the dome of the Urban Hall and the steeples of the Nikolai Church (left to right).

La silhouette du Nicolaiviertel est marquée par des monuments tels que le Rote Rathaus, la coupole de la maison de la ville et les tours aigues de l'église Nikolai (de droite à gauche).

Ein weithin sichbares Wahrzeichen Berlins ist der Fernsehturm, der den Turm der ehrwürdigen Marienkirche erheblich überragt (oben).

One of Berlin's more visible landmarks is the television tower which clearly overshadows the tower of the Marienkirche (above).

La tour de la télévision qui sert comme point de repère dans Berlin dépasse considérablement la tour de la vénérable église Marienkirche (ci-dessus).

Der gewaltige Fernsehturm und zahlreiche Neubauten haben das historische Gesicht der Berliner Mitte gründlich verändert (rechts).

The gigantic television tower and countless new buildings have changed the historical face of Berlin's center.

La tour imposante de la télévision et plusieurs bâtiments modernes ont profondément changés l'image historique du centre de la ville de Berlin (à droite).

HOTEL STADT BERLIN
ERFELD
PALASTHOTEL

Der Berliner Dom am Lustgarten wurde Ende des letzten Jahrhunderts durch den Architekten Raschdorff errichtet.

Berlin's Cathedral at the Lustgarten was erected by the architect Raschdorff at the end of last century.

La cathédrale de Berlin située près du jardin Lustgarten fut construite par l'architecte Raschdorff à la fin du siècle dernier.

Diese Statue auf dem Boulevard Unter den Linden erinnert an den Staatsmann Freiherr vom Stein, der in Deutschland die Selbstverwaltung der Gemeinden einführte.

This statue on the boulevard Unter den Linden commemorates the statesman Freiherr vom Stein, who initiated autonomous local government in Germany.

Cette statue sur le boulevard Unter den Linden a été construite à la mémoire de l'homme d'Etat baron Freiherr vom Stein qui avait introduit l'auto-administration des communes en Allemagne.

Mitten auf dem Gendarmenmarkt erhebt sich die Statue des Dichterfürsten Schiller vor der Schinkelfassade des Akademiegebäudes (links).

The statue of the famous poet Schiller stands in the middle of Gendarmenmarkt in front of the academy facade designed by Schinkel (left).

Au milieu du Gendarmenmarkt et devant la façade de l'académie décorée par Schinkel se trouve la statue du fameux poète Schiller (à gauche).

Der spätbarocke Französische Dom prägt mit dem gegenüberliegenden Deutschen Dom den Gendarmenmarkt (unten).

The late baroque Französische Dom and the Deutsche Dom are the outstanding constructions on Gendarmenmarkt (below).

Le Französische Dom de style baroque postérieur et le Deutsche Dom dominent le Gendarmenmarkt (ci-dessous).

Die Farbe der Ziegelsteine hat dem Sitz der Berliner Stadtverwaltung zum Namen Rotes Rathaus verholfen (oben).

The color of the bricks inspired Berliners to nickname the seat of Berlin's administration Red Town Hall (above).

Le siège de l'administration de Berlin, la mairie rouge (Rote Rathaus), doit son nom à la couleur rouge de ses briques (ci-dessus).

Umgeben von modernen Hochhäusern und Hotels erhebt sich mitten auf dem breitangelegten Alexanderplatz die Urania-Säule mit der Weltzeituhr (rechts).

Surrounded by skyscrapers and hotels, the Urania-Säule with its world chronometer towers over Alexanderplatz (right).

La statue Uraniassäule qui porte l'horloge du temps universel se trouve au milieu de l'immense Alexanderplatz ceinturée de buildings et d'hôtels modernes (à droite).

EDMONTON
DENVER
NEW ORLEANS
MEXIKO-STADT
MONTREAL
WASHINGTON
NEW YORK
HAVANNA
HALIFAX
WESTGRÖNLAND
OSTGRÖNLAND
AZOREN
5 6 7 8 9 10
GUATEMALA
MANAGUA
PANAMA
BOGOTA
GALAPAGOS-IN
QUITO
LIMA
CARACAS
LA PAZ
ASUNCION
SANTIAGO
RIO DE JANEIRO
SÃO PAULO
MONTEVIDEO
BUENOS AIRES

Als sorgsam renovierte »Milieuinsel« vermittelt das Nikolaiviertel heute wieder einen guten Eindruck davon, wie Berlin früher aussah (rechts).

The painstakingly renovated »Milieu« island, the Nikolaiviertel, shows how Berlin looked like in former times (right).

Aujourd'hui, le Nikolaiviertel, soigneusement restauré en tant que »île d'ambiance« nous permet d'imaginer l'ancienne ville de Berlin (à droite).

Cafés, Kneipen und Geschäfte prägen das den Fußgängern vorbehaltene Nikolaiviertel (unten).

Cafés, pubs and shops line the pedestrian zone of the Nikolaiviertel (below).

Une zone piétonne ainsi que des cafés, des bars et des magasins créent l'ambiance du Nikolaiviertel (ci-dessous).

Die Friedrich-Werdersche Kirche gehört zu den eindrucksvollsten Sakralbauten Berlins.

The Church of Friedrich-Werder belongs to the most impressive sacred buildings in Berlin.

L'église Friederich-Werder compte parmi des constructions sacrées les plus impressionnantes de Berlin.

Die massive Jungfernbrücke an der Friedrichsgracht gilt heute als eines der besterhaltensten Industriebauwerke Berlins.

The massive Jungfernbrücke at the Friedrichsgracht is considered today one of the best preserved industrial constructions of Berlin.

Le pont massif Jungfernbrücke situé sur le canal Friedrichsgracht est considéré aujourd'hui comme un des bâtiments industriels les mieux conservés de Berlin.

Schloß Bellevue dient dem Bundespräsidenten als Berliner Amtsitz (oben).

Bellevue Castle is the official residence for the President of the Federal Republic in Berlin (above).

Le château Bellevue est le siège berlinois du président de la République Fédérale d'Allemagne (ci-dessus).

Hoch oben auf ihrer Säule kann die Siegesgöttin auch in der stärksten Großstadthektik die Übersicht bewahren (rechts).

The Victory Goddess can observe the hectic city from her throne in the sky (right).

Tout en haut de sa colonne, la déesse de la Victoire bénéfice d'un point de vue unique, même pendant les moments les plus actifs (à droite).

DER KO

Ihrer ungewöhnlichen Form wegen haben die Berliner ihre Kongreßhalle respektlos »schwangere Auster« getauft (links).

It is owing to its unusual shape that Berliners have nicknamed their Congress Hall »pregnant oyster« (left).

Les berlinois ont baptisé leur centre des congrès avec un manque de respect évident »huitre enceinte« à cause de sa forme particulière (à gauche).

Carillon nennen die Berliner ihr Glockenspiel, das in der Nähe der John-Foster-Dulles-Allee steht (oben).

Berliners call their chiming clock Carillon, which is found near John-Foster-Dulles-Allee (above).

Le carillon situé à proximité de l'avenue John-Foster-Dulles est appellé Carillon (ci-dessus).

AEG WASCHAUTOMATEN LAVAMAT AEG AUS ERFAHRUNG

M·A·N LASTWAGEN
copiers
PHILIPS

SFB
PENTAX
RANK XEROX
VICTORIA
MÄDLER

Vorhergehende Doppelseite: Ein ruhender Pol in der Hektik – die Kaiser-Wilhelm-Gedächtniskirche.

Preceding spread: An island amid the hustle and bustle – the Kaiser-Wilhelm-Gedächtniskirche.

Pages précédentes: Un îlot de repos – l'église Kaiser-Wilhelm-Gedächtniskirche.

Die kühne Glasfassade des Europa-Centers und die Kaiser-Wilhelm-Gedächtniskirche (links).

The bold facade of the Europa-Center and the Kaiser-Wilhelm-Gedächtniskirche (left).

La façade audacieuse du Europa-Center et l'église Kaiser-Wilhelm-Gedächtniskirche (à gauche).

Ein markantes Wahrzeichen der Stadt ist die Gedächtniskirche, deren Turmruine als Mahnmal für den Frieden erhalten wurde (unten).

A remarkable landmark of the city is the Gedächtniskirche, the ruins remain as a reminder for peace (below).

L'église Gedächtniskirche dont la tour en ruine a été conservée en tant que mémorial de la paix, est un emblème représentatif de la ville (ci-dessous).

Kreative Eigenwilligkeit verraten die zahlreichen modernen Gebäude Berlins, in denen, wie hier im Europa-Center, Banken und Einkaufszentren untergebracht wurden.

Creativity and individuality are demonstrated in Berlin's buildings such as the Europa-Center which houses banks and shops.

L'entêtement créatif se manifeste dans l'architecture de nombreux immeubles modernes, où se trouvent, comme ici dans le Europa-Center, des banques et des grands magasins.

Europa-Center, Gedächtniskirche und moderne Plastiken prägen das Berliner Stadtbild an der Tauentzienstraße.

The Europa-Center, the Gedächtniskirche and modern sculptures on Tauentzienstraße are characteristic features of Berlin.

Le Europa-Center, l'église Gedächtniskirche et des sculptures modernes caractérisent la physionomie de la ville le long de la rue Tauentzienstraße.

Wie viele Einwohner Berlins ist auch dieser asiatische Pandabär im Berliner Zoo ein »waschechter« Ausländer (rechts).

Like many Berlin residents, this Asian Panda bear is also a »true blue« foreigner (right).

Comme beaucoup de berlinois, le Panda, l'ours asiatique, vient également de l'étranger (à droite).

Steinerne Elefanten tragen das pagodenähnliche Eingangstor zum Zoologischen Garten mit seinen exotischen Tierhäusern (unten).

Stone elephants guard the entry way to Berlin's Zoological Garden with its exotic animal cages (below).

La porte d'entrée du zoo ressemble à une pagode et repose sur des éléphants en pierre. A l'intérieur, les animaux sont hébergés dans des abris exotiques (ci-dessous).

SFB
18
Berlin Mitte
Messegelände

Hinter der kühnen Konstruktion des Internationalen Kongreßzentrums erhebt sich der weltberühmte Funkturm, den die Berliner »Langer Lulatsch« nennen (links).

Behind the bold construction of the International Congress Center soars the world renowned radio tower, called the »langer Lulatsch« by Berliners (left).

Le pylone de T. S. F., que les berlinois appellent »langer Lulatsch«, s'érige derrière l'audacieuse construction du centre international des congrès (à gauche).

Berlin versteht sich gerne als Weltstadt und zeigt daher besonders bei internationalen Veranstaltungen gerne Flagge (oben).

Berlin likes to consider itself a metropolis and gladly waves the international flag at international events (above).

Comme Berlin se considère avec plaisir comme une métropole, elle aime à montrer son drapeau lors des manifestations internationales (ci-dessus).

Das Berliner Olympiastadion wurde von 1934 bis 1936 in Stahlbeton und Muschelkalkverkleidung errichtet und faßt etwa 90 000 Zuschauer.

Berlin's Olympic Stadium was erected from 1934 to 1936 and seats approximately 90,000 spectators.

Le parc olympique de Berlin, réalisé de 1934 à 1936, dispose d'une capacité de 90 000 spectateurs.

OLYMPIASTADION BERLIN
DEUTSCHES POKALENDSPIEL
FC B.MUENCHEN--FC B.05 UERDINGEN
HERZLICH WILLKOMMEN
VEREHRTE GAESTE,
LIEBE FUSSBALLFREUNDE
BANK FUER HANDEL UND IN USTRIE
BATIDA DE COCO
Cerealit
Cerealit
TELENORMA
METAXA

Das Schöneberger Rathaus diente seit der Teilung der Stadt als Amtssitz des Regierenden Bürgermeisters von Berlin (rechts).

Since the division of the city the Schöneberg City Hall was used as the mayor's office (right).

Depuis la séparation de la ville, la mairie de Schöneberg servait de siège au bourgmestre régnant sur Berlin (à droite).

Die berühmte Freiheitsglocke ist ein Geschenk des amerikanischen Volkes an die Berliner und hängt im Schöneberger Rathaus (unten).

The famous Freedom Bell, a gift to the Berliners from Americans, hangs in the Schöneberg City Hall (below).

La fameuse cloche de la liberté est un cadeau du peuple américain et se trouve dans la mairie de Schöneberg (ci-dessous).

Die massive Spandauer Zitadelle gehört zu den ältesten Befestigungsanlagen der gesamten Mark Brandenburg (links).

The huge Spandau Citadel is one of the oldest fortifications of the Brandenburg boundaries (left).

La massive citadelle de Spandau compte parmi les fortifications les plus anciennes de toute la Mark de Brandenbourg (à gauche).

In den engen Kneipen Alt-Berlins fühlen sich nicht nur die echten Berliner am wohlsten (unten).

Not only true blue Berliners feel at home in Old Berlin's small pubs (below).

Dans les petits bars du vieux Berlin, les vrais berlinois ne sont pas les seuls à se sentir chez eux (ci-dessous).

Der Chamissoplatz, dessen Bürgerhäuser mit prächtigen Stuckfassaden versehen sind, ist in den letzten Jahren zum Aushängeschild Berlins geworden (rechts).

Chamissoplatz, the residential area with superb stucco facades has recently become a landmark of Berlin (right).

La Chamissoplatz avec ses maisons bourgeoises décorées de magnifiques façades en stuc est devenue, dans les dernières années, la vitrine de Berlin (à droite).

Kreuzberg gilt mit seinen internationalen Geschäften als multikultureller Stadtteil Berlins (unten).

Kreuzberg with its international shops is considered Berlin's multi-cultural district (below).

Le quartier Kreuzberg avec ses magasins internationaux a une réputation pluri-culturelle (ci-dessous).

ren
iser
35m
Luftfracht
25m Betriebsan
BERLIN-TEG
OTTO LILIENT
Lufthans
17
Haupthalle
Main Hall
1-16
Abflug-Ankunft
Departures-Arrivals
P
9E
TAXI

gen
AEG
CK-BORSIG
novotel
Privatgelände
WIEN
HANNOVER
ZUERICH
MUENCHEN
FRANKFURT
HAMBURG
NUERNBERG
BREMEN
OSLO
LONDON
MUENCHEN
NEW YORK
STUTTGART
BARCELONA
Flughafenwegweiser
12 13 14 15
16

Vorhergehende Doppelseite: Seit Berlin nicht mehr geteilt ist, dürfen auch die Maschinen der Lufthansa wieder auf dem Tegeler Flughafen landen.

Preceding spread: Once again since the reunification Lufthansa aircrafts can operate from Tegel Airport.

Pages précédentes: Depuis que Berlin n'est plus séparée en deux parties, les avions de la Lufthansa sont autorisés à atterrir sur l'aéroport de Tegel.

Wenn sich die sportlichen Berliner einmal jährlich zum traditionellen Stadtlauf treffen, haben Autos in der Innenstadt nichts mehr zu suchen (rechts).

Once a year when sportive Berliners gather for the city marathon all cars are barred from entering the inner city (right).

Le traditionnel marathon de Berlin, qui réunie les amateurs une fois par an, rend le centre ville inaccessible pour les voitures (à droite).

Die Avus, die Automobil-Verkehrs- und Übungsstrecke, wurde 1921 als erste Autorennstrecke Deutschlands eröffnet (unten).

The Avus (Automobile, Traffic and Practice Track), Germany's first car race track, was opened in 1921 (below).

L'Avus, qui sert comme piste d'automobiles, fut inaugurée en 1921 et fut le premier circuit de course (ci-dessous).

HOTEL
KLM
U
3212
6038
3276
4731
6085

Segeltörns auf den Havelseen ergänzen im Sommer das sportliche Angebot Berlins.

Berlin has sailboating opportunities on the Havel Lakes in summer.

En été, des régates de voiliers sur les lacs de l'Havel sont proposés aux sportifs berlinois.

Kulturmetropole Berlin

Die prominenteste Berlinerin aller Zeiten ist Königin Nofretete, das Prunkstück des Ägyptischen Museums. Außerdem hat Berlin natürlich noch etliche weitere berühmte Museen zu bieten, etwa das Museum für Ostasiatische Kunst, das Museum für Indische Kunst, das Museum für Völkerkunde, die Gemäldegalerie oder den Gropius-Bau.
Berlins legendäre »Schatzkammer« ist und bleibt die Museumsinsel. Von Süden nach Norden folgen Altes Museum, Neues Museum, Nationalgalerie, Pergamon-Museum und Bode-Museum mit wertvollen kunstgeschichtlichen und archäologischen Sammlungen. An den Ausstellungen im Berlin-Museum und im Märkischen Museum kann sich der Besucher über die Geschichte und die historische Identität der Stadt und der Mark Brandenburg ein genaueres Bild verschaffen.
Ganz Berlin besitzt über 70 Theater, drei Opernhäuser und zwei Operettenpaläste. Das Theaterleben im Westen der Stadt zeichnete sich in den vergangenen Jahren stets durch eigenwillige Inszenierungen aus. Aufwendige Bühnenrevuen begründeten im Osten den Ruhm des Friedrichstadtpalasts, der zusammen mit dem Deutschen Theater, der Komischen Oper und dem Neuen Theater das Kulturleben maßgeblich geprägt hat. Wichtigste Adresse für Musikliebhaber bleibt die Philharmonie.

The most prominent Berliners in all times have lived in the Charlottenburg section of Berlin, and so does Nefertiti, whose everlasting beauty can be admired at the Egyptian Museum.
And there are some more famous museums in Berlin: For example the Museum for East Asian Art (Museum für Ostasiatische Kunst), The Museum for Indian Art (Museum für Indische Kunst), the Museum for Folk Art (Völkerkundemuseum), the Picture Gallery (Gemäldegalerie) or the Gropius-Bau.
Berlin's legendary »Schatzkammer« (treasury) is the Museumsinsel on Kupfergraben. From the north to the south, one finds the Alte Museum, the Neue Museum, the Nationalmuseum, Pergamon Museum and the Bode Museum with their valuable and historical art objects. The exhibitions of the Berlin Museum and the Märkische Museum bring the history of Berlin into a sharper focus for the visitor.
Berlin has over 70 theaters, three Opera houses and two Operetta palaces. The survival depends on sometimes self-produced performances. The revues at Friedrichstadtpalast can be extravagant, but the high standards are maintained with contributions from both sides of Berlin. An important address for the music fan to remember is the Philharmonie.

Beaucoup de musées fameux on peut visiter à Berlin: Le musée Egyptien (Ägyptisches Museum), le musée de l'art Est-asiatique (Museum für Ostasiatische Kunst), le musée ethnologique (Museum für Völkerkunde), la Gemäldegalerie ou le Gropius-Bau. Mais le vrai joyau de Berlin reste toujours l'île des musées. Il reste à énumérer les musées Alte Museum, Neue Museum, la galerie nationale, les musées Pergamon et Bode ainsi que le Berliner Museum et le Märkische Museum, dans lesquels le visiteur peut s'informer sur l'identité historique de la ville.
La ville de Berlin dispose de plus de 70 théâtres, de trois opéras et de deux palais d'opérettes. Des mises-en-scène d'avant garde à l'Ouest et des revues luxueuses à grand spectacle au Friedrichstadtpalast à l'Est ont, entre autres, contribué à marquer la vie culturelle de Berlin. Pour les amateurs de musique, la Philharmonie reste l'adresse la plus importante.

Die berühmteste Berlinerin aller Zeiten, die ägyptische Königin Nofretete, residiert im Ägyptischen Museum in Charlottenburg.

The most famous Berliner of all times, the Egyptian Queen Nefertiti, resides in the Egyptian Museum (Ägyptisches Museum) in the district of Charlottenburg.

La berlinoise la plus connue est la reine Néfertiti du musée Egyptien (Ägyptisches Museum) de Charlottenburg.

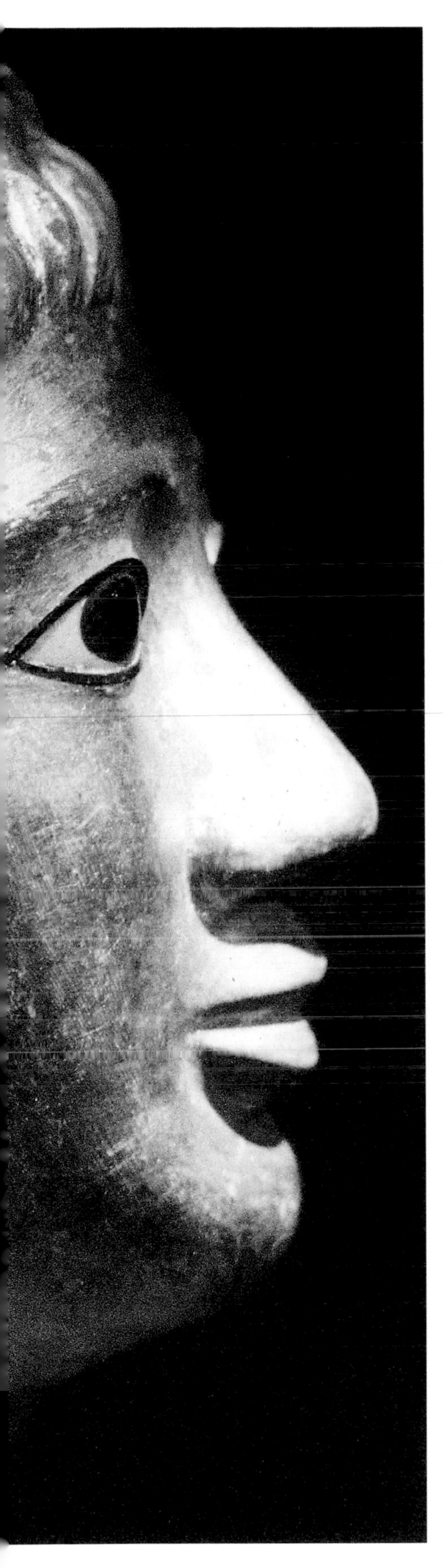

Im Ägyptischen Museum im Stadtteil Charlottenburg ist diese kostbare Mumienmaske des Pa-Syg-Aischines (um 20 nach Christus) zu sehen (links).

The Egyptian Museum in the district of Charlottenburg houses this valuable mummy mask of Pa-Syg-Aischines (around 20 AD) (left).

Ce somptueux masque de momie de Pa-Syg-Aischines (ca. 20 après Christ) est exposé au musée Egyptien situé dans le quartier de Charlottenburg (à gauche).

Wertvolle Kunstwerke aus dem Zweistromland beherbergt das Pergamom-Museum, wie hier das Relief eines Bediensteten aus dem 8. Jahrhundert vor Christus (unten).

Valuable work of art from Mesopotamia such as this relief of a servant from the 8th century before Christ can be seen at the collection of the Pergamon Museum (below).

Le musée Pergamon héberge de précieuses oeuvres d'art provenant de Mésopotamie. L'oeuvre montre le profil d'un domestique qui date du 8ème siècle avant Christ (ci-dessous).

Mit ihrem weltberühmten Pergamon-Museum gilt die Museumsinsel als Spree-Athens Schatztruhe (links).

With its world-famous Pergamon Museum, the Museumsinsel is considered the classical treasure chest of the »Athens on the Spree« (left).

La Museumsinsel hébergeant le musée Pergamon connu dans le monde entier est considérée comme le joyau de »l'Athène sur la Spree« (à gauche).

Den Kampf der Götter gegen die Giganten zeigt dieser Ausschnitt aus dem berühmten Fries am Pergamon-Altar (oben).

The war of the gods against the giants is shown on this section of the famous frieze on the Pergamon altar (above).

Ce fragment de la fameuse frise de l'autel de Pergamon montre la lutte entre les dieux et les demi dieux (ci-dessus).

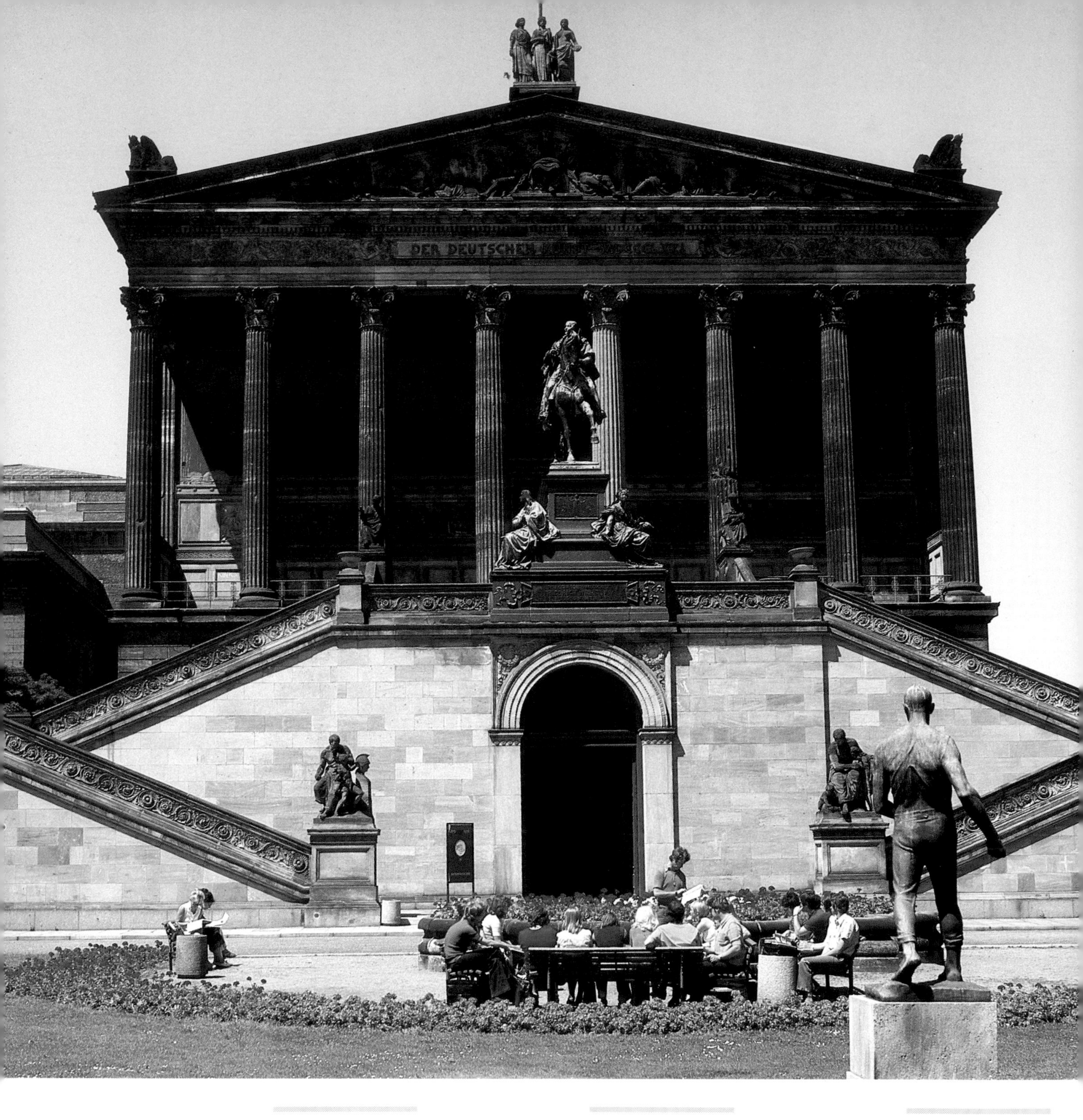

Die im Stil eines griechischen Tempels errichtete Nationalgalerie beherbergt vor allem Sammlungen zeitgenössischer Künstler.

The Nationalgalerie, in the style of a Greek temple, exhibits contemporary artists.

Dans la Nationalgalerie ayant été construite selon le modèle d'un temple grec, le visiteur trouve surtout des collections d'artistes contemporains.

Das Alte Museum mit seiner Säulenhalle ist ein wichtiger Bestandteil der Museumsinsel.

The Alte Museum with its columned hallway is an important part of the Museum Island.

Le Alte Museum et sa salle hypostyle représente un élément important de l'île des musées.

Der gewaltige Lichthof des Kreuzberger Gropius-Baus beherbergt regelmäßig Ausstellungen von Weltrang (unten).

The immense courtyard of the Gropius-Bau in Kreuzberg regularly holds exhibitions of world acclaim (below).

Des expositions d'une importance internationale ont regulièrement lieu dans l'immense cour intérieure du Gropius-Bau à Kreuzberg (ci-dessous).

Das freie Gelände vor dem Kreuzberger Gropius-Bau eignet sich gut als Experimentierstätte für avantgardistische Künstler (rechts).

The spacious grounds in front of the Gropius-Bau is a suitable venue for experimental exhibitions of avantgarde artists (right).

Le terrain libre devant le Gropius-Bau à Kreuzberg se prête avantageusement pour des réunions artistiques avantgardistes (à droite).

Ber

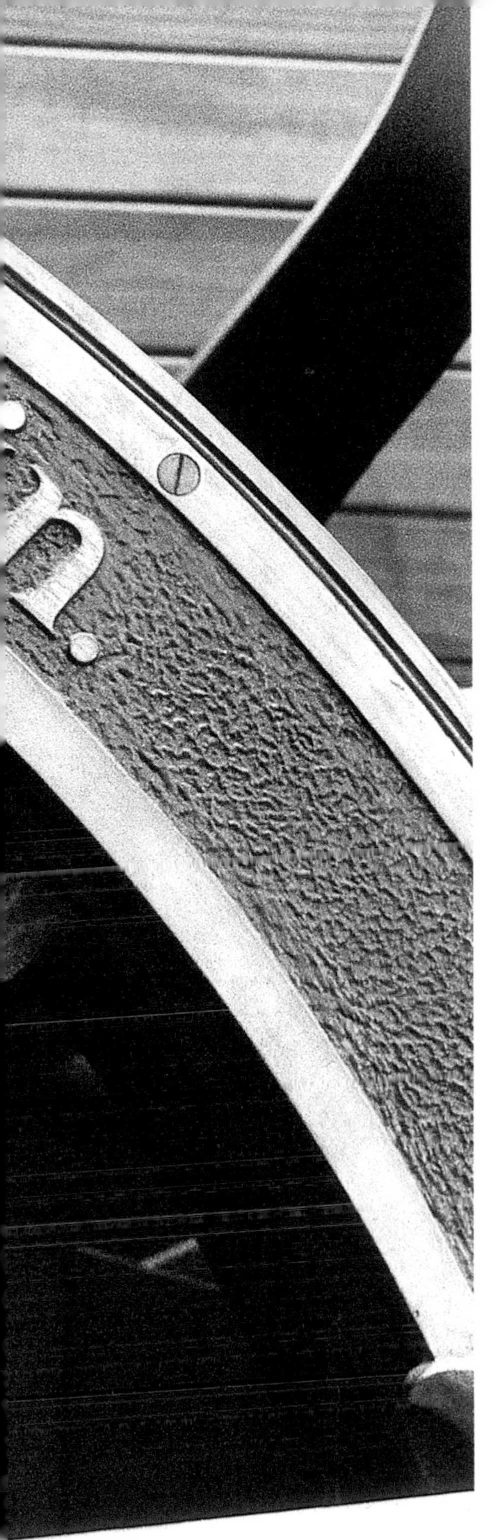

Dieses stählerne Schwungrad symbolisiert Berlins rasante Entwicklung zur führenden Industriestadt Europas (links).

This steel flywheel symbolizes Berlin's rapid development as one of Europe's leading industrial cities (left).

Ce volant en acier symbolise le développement rapide de la ville de Berlin qui est en train de devenir une des plus importantes métropoles industrielles européennes (à gauche).

Einzigartige Schätze aus Asien beherbergt das Dahlemer Museum für Ostasiatische Kunst (unten).

The Dahlem Museum of East Asian Art is home to unique treasures from Asia (below).

Le musée Est-asiatique dans le quartier de Dahlem héberge des trésors extraordinaires (ci-dessous).

Die Berliner Philharmonie besitzt eines der renommiertesten Orchester der Welt (rechts).

The Berlin Philharmonic Orchestra is reputed to be one of the best in the world (right).

Un des orchestres les plus renommés du monde est celui de la Philharmonie de Berlin (à droite).

Das Gebäude der Berliner Philharmonie im Bezirk Tiergarten gilt als Meisterleistung des Architekten Hans Scharoun (unten).

The Berlin Philharmonic Hall in the district of Tiergarten, designed by Hans Scharoun, is considered the ultimate in architecture (below).

Le bâtiment de la Philharmonie de Berlin dans le quartier du Tiergarten est un chef-d'oeuvre de l'architecte Hans Scharoun (ci-dessous).

Das Theater des Westens mit seiner beeindruckenden Fassade liegt im Stadtteil Charlottenburg (rechts).

The Theater des Westens with its impressive facade is in the district of Charlottenburg (right).

Le Theater des Westens décoré d'une façade impressionante se trouve dans le quartier de Charlottenburg (à droite).

Eine gläserne Empfangshalle prägt den Eingangsbereich des Schillertheaters im Bezirk Charlottenburg (unten).

A glass entry way characterizes the entrance to the Schillertheater in the district of Charlottenburg (right).

Un halle de réception vitrée forme l'entrée du Schillertheater dans le quartier de Charlottenburg (ci-dessous).

ARTIS COLENDAE CAVSA CONDIDIT.
MDCCCLXXXVI BERNHARD SEHRING.

FAMILIENTREFF AM VATERTAG

Die Charlottenburger Waldbühne ist im Sommer Schauplatz zahlreicher Theateraufführungen (links).

The Waldbühne in the district of Charlottenburg is the venue for numerous theatre performances in summer (left).

En été, beaucoup de pièces ont lieu au théatre Waldbühne à Charlottenburg (à gauche).

Pantomime und Straßentheater wird auf dem Mariannenplatz im Stadtteil Kreuzberg großgeschrieben (unten).

Pantomime and street theatre performances are popular events on Mariannenplatz in the exotic district of Kreuzberg (below).

Pantomine et spectacles dans la rue dominent sur le Mariannenplatz dans l'extraordinaire quartier de Kreuzberg (ci-dessous).

Schlösser in Berlin und Potsdam

Die zahlreichen Schlösser aus verschiedenen Epochen vermitteln einen nachhaltigen Eindruck von »Preußens Glanz und Gloria«. Das Charlottenburger Schloß diente einst der Kurfürstin Sophie Charlotte als Sommersitz und liegt inmitten eines Englischen Parks. In den reichverzierten Räumen des Schlosses mit dem 48 Meter hohen Turm und seiner Kapelle befindet sich ein Porzellankabinett. Das Schloß und der gleichnamige Stadtbezirk mit seinen sorgsam restaurierten Bürgerhäusern bilden ein städtebauliches Kleinod mit Seltenheitswert.
Weitere Schlösser sind das Renaissance-Jagdschloß in Grunewald, das Tegeler Schloß und das Köpenicker Schloß.
Zu den eindrucksvollsten Schöpfungen des Berliner Stadtarchitekten Knobelsdorff gehört natürlich der Potsdamer Sommersitz Sanssouci. Das am Rande des Rehgartens aufragende chinesische Teehaus entsprach dem spätbarocken Lebensgefühl an den europäischen Fürstenhöfen.
Während das prunkvolle Neue Palais mit seinen 400 Zimmern, dem Grottensaal und seinem Theater Potsdams repräsentativste Schloßanlage darstellt, ist die Orangerie der römischen Villa Medici nachgebildet.
Schloß Cecilienhof schließlich beherbergt die »historische Gedenkstätte des Potsdamer Abkommens«.

The numerous castles from various epochs give a startling impression from the Prussian time of »Brilliance and Glory«. The summer palace of Princess Sophie Charlottte, the Charlottenburger Schloß, contains masterpieces of Baroque art and English gardens. Also impressive is the 48 meter tower, a chapel and a porcelain cabinet from the time of Frederic the Great. The castle and the surrounding area proves a rare treasure of elegance. Also worthwhile visits include the Renaissance Hunting Castle in Grunewald, the castles in Tegel and Köpenick, which dates from the 17th Century.
One of the most impressive architecturally, of course, is Knobelsdorff's summer palace in Potsdam, the Schloß Sanssouci where the king could freely indulge in his equestrian hobby. The meticulous balance and symmetry in the columns, windows and entire layout is astounding. A Chinese tea house can be found near the deer park with golden figures of late Baroque style.
The splendid Neue Palais with its 400 rooms, the huge hall and the theatre represent Potsdam's castle area while the Orangerie was patterned from the Villa Medici.

De nombreux châteaux de différentes époques nous rappellent l'ancienne gloire de la Prusse. Le Charlottenburger Schloß à l'Ouest de la ville, le siège d'été de l'Electrice Sophie Charlotte, situé au milieu d'un grand parc, héberge une collection de porcelaine chinoise qui date de l'époque de Frédéric. Le château et le quartier du même nom, avec ses maisons bourgeoises soigneusement restaurées, représentent un trésor d'architecture extraordinaire. A ne pas oublier le château de chasse (Renaissance) moins pompeux à Grunewald, le château de Tegel et finalement le château de Köpenick, du 17ème siècle.
L'architecte berlinois Knobelsdorff a créé, d'après les dessins du »Alte Fritz«, le siège d'été Sanssouci à Potsdam, qui se distingue par son architecture gracieuse et ses aménagements intérieurs enjoués. Le Neue Palais, avec ses 400 chambres, est le château le plus représentatif.

Brücken-Kontakte vor der Kulisse des Charlottenburger Schlosses verspricht ein Spaziergang im ausgedehnten Schloßpark.

A stroll through the Charlottenburg Castle gardens may lead to encounters on the bridges.

Une promenade dans le parc du Charlottenburger Schloß nous fait trouver decouvrir plusieurs ponts.

Das Motto des Alten Fritz verewigt Preußens Schwarzer Adler am kunstvoll verzierten Haupttor des Charlottenburger Schlosses (oben).

The door to the Charlottenburg Castle bears the Prussian black eagle, the bird of the coat of arms of Frederic the Great (above).

L'aigle noir de la Prusse, qui décore la porte principale du Charlottenburger Schloß, éternise la devise du »Alte Fritz« (ci-dessus).

Charlottenburg gilt zusammen mit seiner umfassenden Schloßanlage als klassizistisches Renommierviertel Berlins (links).

Charlottenburg and its extensive grounds are the integral part of classicist uptown Berlin (left).

Avec son immense château, Charlottenburg compte parmi les premiers quartiers classiques de Berlin (à gauche).

Der mit Wand- und Deckenornamenten reich verzierte Goldene Saal des Charlottenburger Schlosses zeugt vom hohen künstlerischen und handwerklichen Niveau seiner Erbauer (links).

The ornately decorated walls and ceilings of the Goldener Saal in the Charlottenburg Castle reflect the high artistic standard of its creators (left).

La Goldene Saal du Charlottenburger Schloß, aux plafonds et aux murs richement ornée est la preuve du haut niveau artistique de ses réaliseurs (à gauche).

1793 schuf der Bildhauer Schadow die Büste des »Alten Fritz« (unten).

In 1793 the sculptor Schadow created the bust of the »Old Fred« (below).

En 1793, le sculpteur Schadow réalisa le buste du »Alte Fritz« (ci-dessous).

Der ganze Stolz des Stadtteils Köpenick ist sein Schloß, das aus dem späten 17. Jahrhundert stammt.

Köpenick is proud of its castle dating back to the late 17th century.

Le château de Köpenick datant de la fin du 17ème siècle est l'orgueil de son quartier.

Die Pfaueninsel zählt mit ihrem Schlößchen und ihren Pfauen zu den beliebtesten Ausflugszielen der Berliner.

One of the favorite outings in Berlin is to the Pfaueninsel (Peacock Island) with its castle and peacocks.

Beaucoup de berlinois choisissent, pour y faire une excursion, la Pfaueninsel (l'île des paons) avec son manoir.

Gleich wie die griechischen Karyatiden trägt diese Frauengestalt die Halbrotunde im Schloßpark Glienicke (oben).

Just as in ancient Greece, this female carries a half column in the park of Glienicke Castle (above).

Comme les karyatides grecs, cette femme au jardin de Glienicke porte la demi-rotonde (ci-dessus).

Von zwei Löwenstatuen bewacht liegt inmitten eines idyllischen Parks Schloß Glienicke (rechts).

The Schloß Glienicke lies in the middle of a peaceful park guarded by two lion statues (right).

Le Schloß Glienicke, gardé par deux statues de lion, se trouve au milieu d'un parc idyllique (à droite).

SANS SOU

Vorhergehende Doppelseite: Schloß Sanssouci, Sommersitz des »Alten Fritz«, zählt zu den schönsten Schlössern Potsdams.

Preceding spread: Sanssouci Castle, once summer residence of the king »Old Fred«, is considered one of the most beautiful castles of Potsdam.

Pages précédentes: Le château de Sanssouci, le siège d'été du »Alte Fritz« compte parmi les plus beaux châteaux de Potsdam.

Die mit spielerischer Eleganz verzierten Zimmer der Berliner Schlösser waren Ausdruck des Lebensgefühls an den Fürstenhöfen (rechts).

The playfully and elegantly decorated rooms of Berlin's castles reveal the lifestyle of the princely courts (right).

Dans les châteaux berlinois, les chambres étaient décorées d'une façon enjouée et élégante exprimant le style de vie des cours princières (à droite).

Der kuppelgekrönte Mittelbau des eleganten Sanssouci mit seinem Figurenschmuck (unten).

The dome-crowned center building of Sanssouci and its figures (below).

L'élégant siège d'été Sanssouci dont la partie centrale est couronnée d'une coupole (ci-dessous).

Das zierliche chinesische Teehaus zählt mit seinem reichen Figurenschmuck zu den Glanzleistungen des friderizianischen Rokoko.

The dainty Chinese Tea House, richly decorated, is considered the highlight of artistic brilliance in the rococo era of Frederic the Great.

Le gracieux pavillon de thé chinois avec sa décoration de figurines compte parmi les chef d'oeuvres de l'époque Roccoco de Frédéric II.

Zu den weniger bekannten Schlössern in Potsdam zählt Schloß Babelsberg, das inmitten eines großen Parks erbaut wurde.

Babelsberg Castle, one of the lesser known castles in Potsdam, was built in the middle of a large park.

Un château moins connu à Potsdam est le château de Babelsberg situé au milieu d'un grand parc.

400 prunkvoll geschmückte Säle und ein einzigartiges Schloßtheater erwarten den Besucher im Neuen Palais der Potsdamer Schloßanlagen (links).

400 splendidly decorated rooms and an unusual theater await the visitor of the Neue Palais in the Potsdam castle complex (left).

Au Neue Palais à Potsdam, le visiteur dispose de 400 salles pompeusement décorées et d'un ampli-théatre extraordinaire (à gauche).

Im Mittelbau der an italienische Vorbilder angelehnten Orangerie im Potsdamer Schloßpark logierte einst der russische Zar Nikolaus I. mit seiner Gemahlin (unten).

The Russian Csar Nicolas I and his wife once lodged in the Italian style central building of the Orangerie on the castle grounds (left).

Dans la partie centrale de l'orangérie, construite selon un modèle italien et située dans le parc du château, logea à l'époque le tsar Nicolaus I. et son épouse (ci-dessous).

Am runden Tisch im getäfelten Saal des Schlosses Cecilienhof besiegelten bei der Potsdamer Konferenz im Jahre 1945 die Vertreter der Siegermächte Deutschlands Schicksal (oben).

At the round table of the Paneled Room in Cecilienhof Castle the fate of post-war Germany was sealed by the victorious Allies at the Potsdam Conference in 1945 (above).

A la table ronde de la salle boisée du château Cecilienhof, les représentants des alliés décidèrent du destin de l'Allemagne lors de la conférence de Potsdam de 1945 (ci-dessus).

Das kurz vor Ende des Ersten Weltkrieges erbaute Hohenzollern-Schloß Cecilienhof in Potsdam erinnert mit seinen Kaminen und Fachwerkkonstruktionen an einen englischen Landsitz (rechts).

Completed shortly before the end of World War I Cecilienhof Castle in Potsdam with its fireplaces and paneling calls to mind an English country-seat (right).

Les cheminées et les colombages du château Cecilienhof à Potsdam, construit juste avant la première guerre mondiale, fait penser à une maison de campagne anglaise (à droite).

EINGANG

Berliner Landschaften

Das Schicksal einer eintönigen Betonwüste blieb der Millionenstadt bis heute erspart: Die Stadtlandschaft ist durch zahlreiche Grünanlagen aufgelockert. So führt der Weg ins vornehme Villenviertel Grunewald durch einen idyllischen Kiefernforst, vorbei am Naturschutzgebiet Teufelsfenn hin zum 120 Meter hohen Teufelsberg, auf dem erholungssuchende Berliner bei günstiger Witterung im Winter Ski fahren können. Einige Schritte vom Bahnhof Zoo entfernt entdeckt der Berlinbesucher am Rande des früheren Diplomatenviertels den Tiergarten, Berlins »Grüne Lunge«. Im Zentrum des drei Kilometer langen Naturparks mit seinen Seen und Flüssen erheben sich Siegessäule und Eingangstor des Zoologischen Gartens, dessen Pagodendach von zwei steinernen Elephanten getragen wird. Willkommene Abkühlung bieten im Sommer die Havelseen im Westen der Stadt, im Osten lockt der Müggelsee als Ausflugsziel Tausende von Badegästen, Surfern und Segelbootfahrern an seine Strände. Ganz in der Nähe des Märkischen Ufers schließlich, unweit der Friedrichsgracht mit ihren vorbildlich renovierten Bürgerhäusern, entdeckt der Berlinbesucher ein gänzlich unverfälschtes Stück Alt-Berlin im Grünen: Der Köllnische Park mit Heinrich-Zille-Denkmal und den mit Abstand bekanntesten Berlinern – den Bären im Zwinger.

Berlin is not a monotonous concrete jungle, the city is blessed with many green sections. The section Grunewald is known for its greenery and peaceful Kiefernforst that is found near the Teufelsfenn conservation park. In winter, one can even ski on the 120 meter high Teufelsberg. A few steps from the train station Zoo, where the diplomats used to live, one will find Berlin's »green lung«, the Tiergarten. In the center of Berlin's 3 kilometer long natural park with lakes and streams are the Siegessäule (Triumph Column) and the Zoological Gardens, whose entrance is guarded appropriately by two stone elephants.
A welcomed summer breeze can be found on the Havel Lakes in the West and Müggel Lake in the east. Thousands of beach combers, surfers and sailors flock to the lakes every summer. Another piece of the »old Berlin« can be found in the Köllnische Park; the monument to Heinrich Zille – Zille drew Berliners of the last century with warm, full humour – and the famous bear in its cage.

Berlin a put éviter l'évolution vers un désert de béton: Le paysage urbain est aéré par plusieurs parcs, comme par example la pinède entourant le quartier bourgeois de Grunewald ou bien la réserve naturelle Teufelsfenn avec le Teufelsberg, culminant à 120 mètres. Le poumon de Berlin, le Tiergarten, consistant en 3 kilomètres de parc et qui se trouve près de la gare Bahnhof Zoo, est composé de plusieurs lacs et rivières.
En été, divers lacs invitent aux joies de la baignade: Les Havelseen à l'Ouest et le Müggelsee à l'Est. Dans la verdure, le visiteur retrouve également une partie pure du »Vieux-Berlin«: le Köllnische Park avec le monument de Heinrich Zille et le berlinois le plus connu – l'ours dans la fosse.

An den verträumten Wasserläufen im Berliner Urstromtal, hier zwischen Fürstenwalde und Köpenick im Osten außerhalb der Stadt, scheint die Zeit stehengeblieben zu sein.

Between Fürstenwalde und Köpenick east of the city, time seems to stand still on the dreamy waterways of Berlin's original river landscape.

En se promenant le long des berges de la vallée antique, par example entre Fürstenwalde et Köpenick dehors de la ville à l'Est, le temps semble s'être arrêté.

Bei Sonnenuntergang verspüren die letzten Segelbootfahrer ganz besonders eindrucksvoll die faszinierende Stimmung an den weiten Havelseen.

The last of the sailing boats experience an especially impressionable sunset in the fascinating atmosphere of the wide Havel Lakes.

Le coucher de soleil impressionne les derniers yachtmen par leur fascinante ambiance autour des lacs de l'Havel.

Sportliche Leistung zeigen die Berliner auf den Havelseen (ganz oben).
Wer kräftig genug in die Pedale tritt kommt auch über die Berliner Havelseen (oben).

Berliners demonstrate their athletic abilities on the Havel Lakes (top).
Whoever has strength for pedalling comes around the Havel Lakes, too (above).

Les berlinois manifestent leurs volontés sportives en faisant du nautisme sur les populaires lacs de l'Havel (tout en haut).
Les utilisateurs de pédalo sur les lacs de l'Havel arrive lentement mais sûrement à bon port (ci-dessus).

In gemächlichem Tempo zieht das Havelsee-Passagierschiff an der Pfaueninsel mit ihrem weithin sichtbaren Schlößchen vorbei (rechts).

The Havel Lakes passenger ship cruises lazily past the Pfaueninsel with the castle in sight (right).

Le bâteau promenade traverse lentement la Pfaueninsel avec son manoir visible de loin (à droite).

HAVELSTERN

Im Tiergarten, Berlins »grüner Lunge«, erinnert eine Statue an die populäre Preußenkönigin Luise (links).

In the district of Tiergarten, known as Berlin's »green lung«, a statue commemorates the popular Prussian queen Luise (left).

Au Tiergarten, le poumon de Berlin, une statue nous rappelle Luise, la populaire reine de Prusse (à gauche).

Idyllische Allee im Tegeler Schloßark (unten Mitte).
Bootspartie auf dem neuen See im Bezirk Tiergarten (ganz unten).

Idyllic avenue in the castle park of Tegel (center below).
A boat outing on the new lake in the district Tiergarten (bottom).

Une allée dans le parc du château de Tegel (au milieu en bas).
Une excursion en barque sur le nouveau lac dans le quartier de Tiergarten (tout en bas).

Am romantischen Tegeler Fließ bei Lübars wird Berlins dörflich geprägter Charakter deutlich.

Berlin's village-like character becomes evident on the romantic Tegeler Fließ near Lübars.

Le caractère provinciale de Berlin se manifeste dans le Tegeler Fließ près de Lübars.

Endlose Alleen und enge Straßen führen von der einstigen Residenzstadt Potsdam in die landschaftlich reizvolle Ruppiner Schweiz.

Endless alleys and narrow streets lead from the former residence city of Potsdam to the beautiful countryside of the Ruppiner Schweiz.

Des allées infinies et des rues étroites sortent de l'ancienne ville résidentielle de Potsdam et nous mènent à la Ruppiner Schweiz par un paysage ravissant.

Berlin bleibt doch Berlin

Die berühmteste Liebeserklärung an die Stadt stammt von einem Nicht-Berliner: Zehntausende von Besuchern brachen spontan in Jubel aus, als der amerikanische Präsident John F. Kennedy 1963 seine Zuhörer mit dem Bekenntnis »Ich bin ein Berliner« überraschte.
Auf die nicht unangebrachte Frage, wer denn nun tatsächlich ein »waschechter« Berliner sei, hatte der Schriftsteller Kurt Tucholsky schon in den Zwanziger Jahren eine passende Antwort: »Der Berliner stammt entweder aus Breslau oder Stettin und hat meistens keine Zeit.« Da war der Journalist Ludwig Börne im letzten Jahrhundert schon um größere Präzision bemüht: »Man hält die Berliner für übelgebildete, glatte, herzlose, verschrobene Menschen. Dieses ist das große Gegenteil. Sie sind die einfachsten, bescheidensten, herzlichsten Menschen, die mir je vorgekommen sind.« Vermutlich dachte Börne spontan an den notorischen Eckensteher Nante, den Adolf Glaßbrenner auf seinen Zeichnungen verewigt hat.
Heutzutage würde man diese Journalisten gewiß im »Milljöh« von Kreuzberg oder des Prenzlauer Berges antreffen, wo man das Lebensgefühl auf dem »Kiez« empfinden kann.

In 1963, to the surprise of thousands of spectators, a non-Berliner with an American East Coast accent – John F. Kennedy – said, »Ich bin ein Berliner«. Who is a genuine Berliner?
A true-blue Berliner, wrote Tucholsky in the 1920's, »comes either from Breslau or Stettin and usually has no time«. Journalist Ludwig Börne said, »People think of Berliners as cross, slick, heartless and odd. It is the exact opposite. They are simple, modest and sincere.« He may have been thinking of the notorious loiterer »Nante« found in Adolf Glaßbrenner's paintings.
Today, one could still meet journalists like these in the locals of Kreuzberg or Prenzlauer Berg. There is hardly a better place to catch a real impression of life in Berlin than in the »Kiez«, as the Berliners say.

En 1963 John F. Kennedy a déclaré: »Ich bin ein Berliner.« La question de savoir ce qui caractérise un vrai berlinois a été répondue par le journaliste Ludwig Börne de la façon suivante: »On pense que les berlinois sont des gens qui sentent mauvais, insinuants, sans coeur, tordus. Mais au contraire. Ce sont les gens les plus simples, les plus modestes et les plus sincères que je connaisse«.
Aujourd'hui, on trouverait certainement ce journaliste dans les bars de Kreuzberg ou dans les arrière-cours du Prenzlauer Berg.

Auch wenn sein Affe heute nur noch aus Stoff ist, zählt der Leierkastenmann mit seinen schrägen Orgeltönen vor der Turmruine der Gedächtniskirche zu den unsterblichen Berliner Originalen.

Even if his monkey these days is only a stuffed one, the organ-grinder and his music near the Gedächtniskirche is one of the immortal Berlin originals.

Même si aujourd'hui son singe n'est qu'en étoffe, le joueur d'orgue qui s'installe devant la tour en ruine de l'église Gedächtniskirche compte parmi les inmortels de Berlin.

Diplome d'Honneur & goldene Medaille.
G.BACIGALUPO Schönhauser Allee 79 BERLIN.N
VIOLINO=PAN

In Berlin erlebt man seit jeher extravagante Theaterinszenierungen (ganz oben). Die renommiertesten Couturiers aus aller Welt sind bei den Berliner Modeschauen zu Gast (oben).

In Berlin you always can see most extravagant theater productions (top). The most renowned fashion designers from all around the world gather at Berlin's Fashion shows (above).

Des mises en scènes les plus extravagantes on peut voir à Berlin (tout en haut). Les meilleurs couturiers du monde se donnent rendezvous à Berlin lors des présentations de mode (ci-dessus).

In aller Regel findet ein ausgedehnten Bummel über den belebten Kurfürstendamm im legendären Café Kranzler seinen Abschluß (rechts).

A real spree on the favorite Kurfürstendamm will certainly end in the legendary Café Kranzler (right).

Une longue promenade passant par le Kurfürstendamm se termine au célèbre café Kranzler (à droite).

NZLER

Die berühmte Berliner Weiße ist zwar genaugenommen eine Blonde, wird aber als sommerliches Erfrischungsgetränk mit oder ohne Strohhalm gleichermaßen geschätzt.

The famous »Berliner Weiße«, rather blond than white, is treasured as a refreshing summer drink with or without straw.

La fameuse »Berliner Weiße« est proprement dite une bière blonde, mais elle est aussi un rafraîchissement qui se boit avec ou sans paille.

Wenn es die Berliner am Wochenende an die Ufer der Havelseen zieht, kommt die berühmte »Musike« mit Tanz nie zu kurz.

On the weekends, the Berliners flock to the beaches of the Havel Lakes where dance and »Musike«, or music, never run short.

Beaucoup de berlinois passent leur week-end sur les bords des lacs de l'Havel où la »Musike« et la danse joue également un rôle important.

Die berühmten Doppeldecker-Busse sind wie die vertrauten S-Bahn-Wagen aus der Berliner Verkehrsszene nicht wegzudenken (unten).

The famous double-decker buses, like the familiar S-Bahn trains, remain vital parts of Berlin's transportation system (below).

On ne peut imaginer le trafic de Berlin sans les fameux autobus-impériales ni les tramway (ci-dessous).

Während die echten Berliner Bären im Zwinger des Köllnischen Parks anzutreffen sind, gelten diese harmlosen Stofftierchen als beliebtes Souvenir (rechts).

While the real Berlin bears are kept safely in their cages at the Köllnische Park, their harmless stuffed counterparts are sold as souvenirs (right).

Tandis que les vrais ours de Berlin se trouvent dans les fosses du Köllnische Park, ces innocents emblèmes en étoffe sont des souvenirs recherchés (à droite).

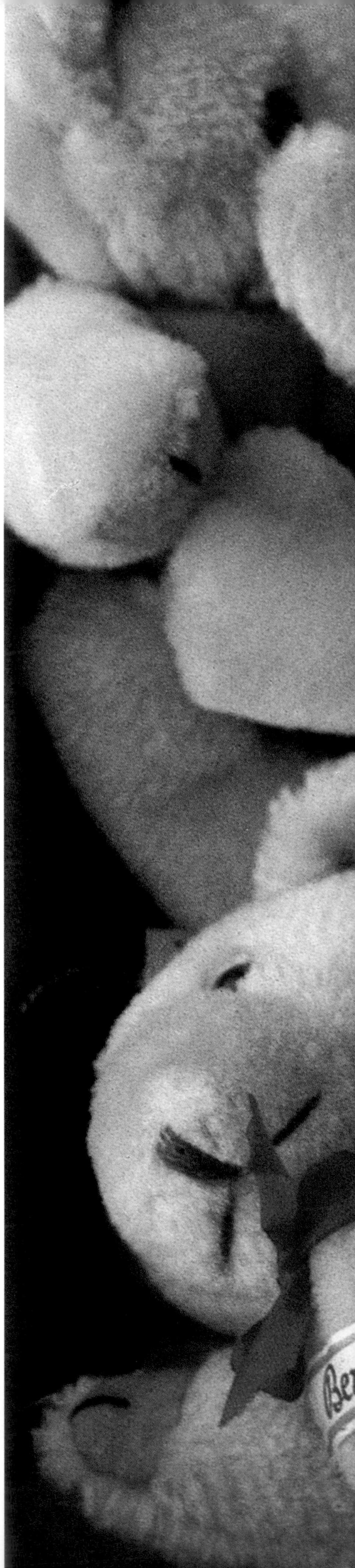

Berliner Bär

Die Fahne mit dem Berliner Bären weht neben der Bundesflagge am Berliner Amtssitz des Bundespräsidenten (unten).

The flag with the Berlin bear flies next to the Federal Flag at the official residence of the Federal President (below).

Le drapeau avec l'ours de Berlin est installé près du drapeau fédéral dans le siège berlinois du Président de la République (ci-dessous).

Die alte S-Bahn mit ihren rotgelben Wagen war das erste moderne Verkehrsmittel in der ehemaligen Reichshauptstadt und ist noch heute der Stolz aller Berliner (rechts).

The S-Bahn with its red and yellow cars was the first modern means of transportation in the once imperial Capital and is still the pride of all Berliners today (right).

Le tramway avec ses wagons rouges et jaunes était le premier moyen de transport de l'ancienne capitale du Reich. Encore aujourd'hui, les berlinois en sont très fiers (à droite).

Anhalter Bahnhof
S14

Potsdam
Preußische Residenzstadt

Die Residenzstadt am Ufer der Havelseen stand immer im Schatten des mächtigen Berlin. Die Potsdamer selbst schien dieser Umstand nicht zu stören, im Gegenteil: Potsdam eiferte dem französischen Vorbild Versailles nach und zog die provinzielle Ruhe der Großstadthektik vor.
Der Ort entwickelte sich von der zweiten Hälfte des 17. Jahrhunderts an zur preußisch-brandenburgischen Residenzstadt. Mit seiner großzügigen Einwanderungspolitik holte der Große Kurfürst Glaubensflüchlinge, darunter Kaufleute, Handwerker und Weber aus Frankreich und Böhmen, in sein Land. Kristallgläser, Fayencen und Seidenstoffe waren begehrte Markenartikel in ganz Europa.
Bald setzte Potsdams Entwicklung zur größten Garnisonsstadt des Königreichs ein. So zählte man 1774 im Stadtgebiet fast 140 Militäranlagen. Daran erinnern neben Kasernen und Lazaretten noch die Traufenhäuser der Brandenburger Straße.
Zu den Meisterleistungen der damaligen Zeit zählt neben dem eleganten Alten Rathaus in Barockstil die gewaltige Nikolaikirche. Als einzigartig gilt das im letzten Jahrhundert angelegte Alexandrowna-Wohnviertel, in dessen Häusern die Angehörigen der russischen Kolonie lebten. Schlichte Backsteingebäude prägen das Holländische Viertel, das bis heute seinen kleinstädtischen Charakter bewahren konnte.

This residence city on the shores of the Havel Lakes still lives in the shadow of magnificent Berlin. In spite of the castles and churches modeled after Versailles, Postdam is a quiet, provincial city. It developed in the second half of the 17th century when craftsmen, weavers, merchants and religious refugees were accepted as citizens. Their works of crystal and silk were exported all over Europe. Potsdam evolved into an important military post with 140 camps in 1774. The boulevards today still reflect the aura of the proud city. The elegant City Hall in Baroque style is near the powerful Nikolaikirche. In the past years, the Alexandrowna living quarters housed Russian soldiers. A small section of the city is called the Holland section because of the houses built of clay bricks – it preserves until this day its pleasant provincial character.

Potsdam, la résidence prussienne au bord des lacs de l'Havel suggère la tranquilité provinciale. A partir du 17ème siècle des réfugiés religieux, des commerçants, des artisans et des tisserands, venaient s'installer en Prusse. Peu de temps après, Potsdam devint la ville de garnison du royaume, disposant de 140 installations militaires en 1744.
La vieille Mairie et l'église baroque Nikolai comptent parmi les chef-d'oevres de cette époque. Pendent que le quartier Holländische Viertel est marqué par ses maisons simples en briques et a conservé jusqu'à aujourd'hui son caractère provincial.

Einer maurischen Moschee nachempfunden ist das Potsdamer Wasserwerk, das früher die Wasserspiele und Fontänen der Schlösser speiste.

The Potsdam waterworks are built to resemble a moorish mosque; in former times it supplied the fountains of the castles.

A l'époque, la station de pompage de style mauresque de Potsdam approvisionnait les fontaines et les jets d'eau des châteaux.

Am Ende der autofreien Brandenburger Straße erhebt sich das Potsdamer Brandenburger Tor (links).

At the end of the Brandenburger Straße, now a pedestrian zone, rises Potsdam's Brandenburger Tor (left).

Le Brandenburger Tor de Potsdam se dresse à la fin de la Brandenburger Straße (à gauche).

Auf der in Nebel gehüllten Glienicker Brücke tauschten in früheren Jahren die Supermächte ihre Agenten aus (oben).

Until recently, East and West exchanged captured spies when fog covered the Glienicker Brücke (above).

A l'époque, les superpuissances ont échangé leurs agents secrets sur le pont de Glienicke toujours couvert de brouillard (ci-dessus).

Potsdams Wahrzeichen ist die von Schinkel gestaltete Nikolaikirche, daneben erhebt sich das barocke Alte Rathaus (rechts).

Potsdam's landmark is the Nikolai Church built by Schinkel, next to it the baroque Old City Hall (right).

L'emblème de Potsdam est l'église Nikolai construit par Schinkel; à côté s'érige le Alte Rathaus de style baroque (à droite).

Die schwere Bürde des Erdballs trägt dieser vergoldete Titan auf der Kuppel des alten Potsdamer Rathauses (unten).

This gold-plated titan balances the heavy load of the globe on the dome of the old Potsdam City Hall (below).

Ce titan doré sur la coupole de la vieille mairie de Potsdam, porte la lourde charge du Monde (ci-dessous).

In den Räumen des Potsdamer Marstalles befindet sich eines der bedeutendsten Kino-Museen Europas (rechts).

One of Europe's most important cinema museums is on the premises of the Potsdam Royal Stables (right).

Dans les salles de l'écurie de Potsdam se trouve un des cinéma-musées les plus célèbres de l'Europe (à droite).

Nur das Nauener Tor erinnert heute noch an die einstmals umfangreiche Stadtbefestigung Potsdams (unten).

Only the Nauener Tor is a reminder of the formerly extensive fortifications of Potsdam (below).

Seule le Nauener Tor fait penser aux importantes fortifications de la ville de Potsdam (ci-dessous).

Die Französische Kirche am Bassinplatz erinnert an die zahlreichen Hugenotten, die in Potsdam Aufnahme fanden.

The Französische Kirche on Bassinplatz is a reminder of the many Huguenots who were once taken up by Potsdam.

L'église Französische Kirche sur la Bassinplatz à Potsdam nous rappelle les nombreux huguenots qui y avaient trouvé domicile.